黑情緒的誘惑

序

林志祥，出生於清寒家庭，成長過程中努力擺脫階級複製的束縛，最終發現無法抹除原生家庭所製造的窮傷痕。在通貨膨脹的社會與不同價值觀的衝擊下，變得憤世嫉俗，思想逐漸走向惡化，最終在黑色情緒的誘惑下，計畫一件能讓財富重置的行動。

目錄

「我每天都在想，要怎麼撕爛他的臭嘴、打爆他那愛鄙視的眼神。」

坐在志祥對面的心理諮商師愣住了，因爲這是她第一次遇到病人坐下後先開口說話。

「……怎麼了嗎？」諮商師充滿關懷的眼神問了志祥。

「對不起，我有點失態了。」志祥說。

「沒關係，這應該是藏在你心中非常想說的話吧！大聲說出來，很棒啊！」諮商師回。

「妳只說對了一半，這也是我非常想要做的事。」

「那他是誰？他對你做了什麼事，讓你這麼恨他？」諮商師問。

「我同事，還有我女朋友的家人。」志祥回。

「不只一個人啊……他們應該有什麼共同點，才讓你這麼討厭吧？」諮商師問。

「喜歡背後說人壞話吧……」志祥想了想。

「你有聽到他們在你背後說你壞話嗎?」諮商師問。

「當然有啊!而且我很常聽到他們在評批別人。通常這種人,在別人的背後也一定會說你壞話!我也是當場聽到後,才確定這個推論是對的!」志祥越講越生氣。

「其實這是很正常的事,你眞的不用太在意。」

「聽到就很煩啊!爲什麼會有人嘴巴這麼賤呢?愛批評、抱怨別人?」志祥回。

「嗯……那你覺得這些人都會鄙視你嗎?」諮商師點點頭後換問另一個問題。

「對!他們說話都不正眼看我!對我冷漠、無視且經常打斷我的發言!最討厭的是經常會出現充滿鄙視、傲慢的口頭禪『呿~』、『哼~』,我一聽到就火大!」

「你可以少跟他們接觸,遠離這些讓你不開心的人,可以去找好朋友聊聊天……」諮商師話說到一半就被志祥打斷。

「我無法接受他們這些動作、語氣、眼神,這很困擾我。只要一想到,我心中開始就會充滿著殺意，但我知道這樣是不對的！」志祥說。

「就算你眞的對他們做了不好的事，他們也不會改變、不會反省啊！只會覺得納悶，爲什麼你要這樣對他們。」諮商師回。

「哦……妳說到重點了。」志祥似乎想到了什麼。

「是吧！他們這些行爲舉止根本不用你去承受。」

「死了就不會反省啊…那只好向他們的家人下手了，讓他們一輩子活在自責、痛苦中。不過……一次要處理那麼多人，好像有點難度耶……」志祥想了想。

「……」此時諮商師再次愣住了，因爲眼前這個人的病症，已經不是她的能力範圍可以治療的。她想了想，接下來要怎麼度過剩下的諮商時間，於是諮商師問說：「聊聊你的工作和女朋友吧……事出必有因，我很想知道爲什麼你會這麼痛恨這些人。」

志祥苦笑的回：「哈……這就要從我進入核電廠工作後開始說起了。」

壹、職場

老屁股

「你的醜態，我無法笑笑看待。」

一早上班滑手機，閒閒沒事看電影。
有事不知飄哪裡？怎樣都尋不到你！
虛有其表愛搶功，出事全都賴給你。
敷衍了事沒問題，高薪肥羊就是你！

初到核電廠的志祥，因爲有待過業界，在工作學習上是沒有問題的，但有一點讓他很不習慣，就是公家機關的氛圍，與科技業相比下，步調眞的是慢很多，尤其對於老同事的工作態度，更是無法接受。

「學長，吳大哥整天坐在那，不是滑手機就是看youtube，副理都不敢管，完全動不了他，是吧？」志祥問。

「當然啊！老皮股管不了啦！鐵飯碗就是這樣，你只要乖乖聽從上級交代的指令，無論做好或不好，也沒辦法拿你怎麼樣。」士峰學長說。

「做事不積極，好像什麼都不關他的事吼……」志祥說。

「跟你說個更雞歪的事，他的薪水差不多是你的兩倍，你知道嗎？」

「蛤？幹！聽了更不爽。」志祥感到不可思議的回。

「待三十幾年了，正常啦！你我以後說不定都會變成像他那樣的人哦！哈哈。」

「呵呵。」志祥充滿鄙視的眼神笑了笑。

他心想：「高薪肥羊很爽是吧？從今天起，我就每天記錄你上班打混摸魚的模樣，等時機一到，我就公佈於各家媒體網路，讓全世界都知道你有多爽、多囂張！哼！」

這時副理走了過來說：「士峰，user 說某台 server 一直登不進去，你帶志祥去看一下。」

老皮股一聽到設備有問題，似乎怕副理叫他去處理，立馬起身離開座位。

「你注意一下，這台是 on line 的，要快點處理，需要的話找吳哥一起幫忙。」副理說。

「了解，走吧！志祥。」士峰拿著一把鑰匙後帶著志祥離開了辦公室。

「不找吳哥嗎？」志祥問。

「別理他啦！我討厭檢查時有人在旁邊只會出一張嘴碎念，而且你沒看到嗎？他一聽到有事情就飄走了。」士峰說。

「眞的……超北爛的……」志祥不屑的眼神說。

志祥此時心想：「眞的是個爛人耶……一有工作逃得比誰都快，這種人不值得待在職場，我要是老闆就立馬叫你滾蛋，哼！媽的，就是個冗員。」

士峰與志祥倆人到機房後發現，副理說的那台伺服器開不了機，判斷可能是硬碟壞了。士峰立刻用手機回報給副理，告知完後倆人就回辦公室拿硬碟。

一到門口時就聽到副理與老屁股的對話，似乎在抱怨志祥。

「副理，我跟你說，上次我就有跟志祥講過了，那台硬碟要快點重組，不然會出問題，你看！我就說嘛！」吳哥說。

「喔……好，我會跟志祥說。」副理說。

此時志祥聽到非常不爽，立馬跑去反駁。

「吳哥，你這樣說就沒意思了，當初是我請你要幫忙看這台，你說有空會教我弄的……」志祥話還沒說完就被士峰拉住。

「沒有啦！吳哥，志祥還不太會弄，當初你看系統的錯誤碼，是不是有顯示分割出了問題？」士峰說。

「對啊！」吳哥說。

「那需要重組嗎？」士峰說。

「沒錯啊！」吳哥說。

「可是分割跟重組沒什麼關係耶。」士峰說。

「我知道啊！」吳哥說。

「嗯……我看硬碟是直接掛了，直接 restore 一台就好了。」士峰。

「對！直接 restore 一台就好。」吳哥說。

「那就快點去用吧！」副理說。

接著士峰笑笑帶著志祥離開。

士峰說：「我跟你說過了吧！吳哥他不懂的很多，大家在討論事情時，他只會回『對啊、沒錯、我知道。』這三句話，然後重覆別人說過的邏輯，就會讓主管覺得他很懂。」

「真的耶，超誇張！主管們都看不出來嗎？」志祥問。

「跟他共事過當然看的出來啊！但沒跟他共事過的就會被他唬的一愣一愣。」

「真的超會演！」

「這就是老皮股的生存之道，我跟你說，他等下就會故意到經理旁邊聊這件事的來龍去脈，然後這件事的功勞就會全變成他的了。」

「這不行啦！我們做事，功勞他拿，也太機歪了吧！」

「習慣就好！」

「這我不能接受！」志祥氣憤的說。

「你無法接受，那在這邊會很難過哦……別理他笑笑看待，做好自己事就好。」

「嗯……」志祥點了點頭，但心中那股黑情緒還是壓抑不下來。

此刻他想著：「未來要如何讓那些沒共事過的主管、同事們知道老屁股其實是那麼無能呢？嗯……看來還要仔細的計畫一下。一想到揭穿他，讓大家看清這個小人，想像他被羞辱、鄙視、看笑話的樣子，一定很爽！哈哈哈……很好，這就加在我計畫之一吧！」

充滿黑色情緒的志祥暗自偷笑著，他很期待未來的計畫，那條充滿邪惡的不歸路。

偏見

「他，都只見到你走偏的那一面。」

「改改改！我又不是小學生，寫個報告改了三遍，明明都是同樣意思，爲什麼要這樣一直改？煩死了！」志祥火氣很大的碎念。

「別在意啦！副理就是這樣的人，每行文字都用放大鏡在看的。」士峰說。

「很誇張耶！就這樣一句（檢查）SERVER 是否正常，他可以改成（確認）SERVER 是否正常、最後再改成（查驗）SERVER 是否正常，幹！這不都是同樣意思嗎？」志祥生氣的說。

「阿唷……習慣就好啦！我以前也是被改很多次啊！而且同樣一篇文章，隔了幾個月後，你照抄副理修改完的版本，他還是可以再改一次哦！很厲害吧！」士峰說。

「傻眼……他是不是有病啊？」

「別在意，他喜歡改就都讓他改吧！」

「煩死了。」

「我不是跟你說過，在這公家機關上班要放寬心，很多事情當笑話看就好。」

「沒辦法，我是一位情緒很容易被影響的人。」志祥很認眞的說。

「至少他不是對你有偏見。」

「這還不算偏見嗎？」志祥翻了一下白眼。

「還好啦！跟你說個故事，之前你這個位置的人啊……副理就眞的對他有偏見了。好像他做什麼事都看不順眼的樣子，從新人進來就一直盯，可能是個性上有一點被動吧……但他學習能力還不錯，一點就通，沒幾個月很快就上手了。可是副理從來沒有誇獎過他，還會一直從小細節挑毛病。有一天他不小心出了個包，就被副理無限放大，罵到祖宗18代的詞都出來了，我當下是覺得那個包還好，但就不知道爲什麼副理會那麼生氣。」士峰說。

「借題發揮吧？」志祥說。

「可能吧……，之後他很難過，憤恨不平，私下跟我說覺得自己做到死都不會被看見。我就回他：有時人做了一百件對的事情，在對你有偏見的人身上，他是會自動性遺忘的；但只要你做錯了一件事，他就會記得特別清楚。」

「然後呢？」志祥問說。

「這位同事回我，他知道，所以他很努力的要讓副理看到，肯定自己。難免是一句誇獎、認同的話，他都會開心的一個晚上睡不覺。我就回他說，你這樣太累了……，對你有偏見的人，只會見到你走偏的那一面。」士峰說。

「眞的……要改對人的偏見很難，眞的很難。所以他後來離開了吧？」志祥問。

「走了啊！那次聊天之後，我是有對他說，做好自己份內的工作就好，別人怎麼看你不重要！想說他會放下的……結果過沒多久就申請要調單位。」

「副理對他那麼有偏見，一定準的吧！」

「沒有好不好，還故意酸他，結果副理就被揍了，哈哈哈！」士峰笑了笑。

「哈哈哈，笑死我，後來呢？」

「鬧很大啊！不過最後他有轉調成功啦！哈哈。」

「唉……」志祥嘆了一口氣後搖搖頭。

「人要沒有偏見，保持中立，眞的很難。就像政治一樣，如果你肯聽聽反方的意見，站在他的立場仔細思考，爲什麼反方會這麼說？是眞的嗎？還是爲反而反？其實都不一定。所以啊！省點力氣去處理對你有偏見的人吧……別把自己搞的那麼累。」士峰拍拍志祥的肩膀後離去。

志祥心想，要是未來他也這樣被對待，可不是光揍一拳就能解決的，勢必會讓對方血流成河。他的黑色情緒在幻想著，如果當下身旁有一把鈍器的話，應該就直接從他頭敲下去了吧！想著想著志祥回過神來，他警惕自己：「不行！不管怎樣被對待，我都要忍住。因爲未來還有更重要的事情要做，我不能爲了這小小的恩恩怨怨中斷了我的計畫，你千萬要忍住啊！林志祥。」

黑鍋

「同事挖洞你別跳，長官甩鍋你要背。」

某日，志祥與老吳例行性的在機房測試伺服器。他們一左一右，各分一邊進行測試。在測試過程中，志祥突然看到老吳在一座機櫃前停了很久，他覺得很奇怪，心想要不要前往關心一下，但後來想想算了，先把自己這邊的設備測試完再過去看吧！說時遲那時快，聽到老吳說：「志祥，我好想上廁所，但我這台快測完了，你可以過來幫我一下嗎？」

志祥滿臉無奈的到了老吳身旁，老吳對他說：「待會有訊息出來，你就一直按

enter 鍵給它直接跑就好。」

「好。」志祥點點頭說。

「那我先去拉一下，謝謝啦！」老吳拍拍志祥肩膀後離去。

老吳離開後，志祥仔細看了一下螢幕的訊息，發現根本不是在跑測試，而是有點像是在系統重組。志祥發覺不對勁，心想還是別動好了，並打電話給士峰學長，請他過來看看。

過不久，剛好士峰與老吳一起到了機櫃前，老吳瞬間大叫：「怎麼會這樣？志祥你按了什麼啊？怎麼會重組呢？」

志祥聽完到感到訝異，心想老吳果然是要挖洞給他跳，他立刻反駁說：「你離開後我什麼都沒動哦！」

「怎麼可能沒動會變這樣，我離開前還好好的啊……」

「你離開前，螢幕顯示的訊息就是在重組了！我覺得奇怪，所以我什麼都沒動啊！」

「不可能啊！你沒動怎麼可能會變重組？」

此時志祥眼睛睜大充滿殺氣，右手緊握著拳頭似乎要打人的樣子。

士峰感受到志祥的憤怒，立刻出聲說：「沒關係，先不要爭怎麼會這樣，我先打電話給 user，請他們暫時不要用這台。」

通知完後，士峰立即將伺服器進行修復，在一旁的老吳一直在碎念著：「剛才不是這樣的啊……」志祥聽到後覺得很煩躁，士峰怕志祥再動怒，立即跟志祥說：「志祥，你打開手機錄一下怎麼修復，這種狀況很少發生，很難得的經驗。」

「喔……好。」志祥開啓了手機開始錄影，此時副理也前來關心狀況。

「現在狀況如何？」副理說。

「在修復中。」士峰說。

「喔……不是在測試嗎？怎麼會搞成這樣呢？老吳。」

「我剛去上廁所回來就變這樣啦！」

「那你怎麼不趕快先弄呢？還找士峰過來。」

「我上廁所前就好好的啊！而且又不是我搞的，我怎麼知道怎麼用。」

「不就重組就好了，你應該會吧……」副理此時感受到老吳就是在推卸責任。

「不是我弄的，我不會啦！你們那麼厲害，你們搞就好啦！」老吳說完轉身離開。

老吳離開後，副理一臉無奈的說：「唉……見笑轉生氣。」

「哈哈。」士峰聽到後也笑了笑。

這一幕志祥完完全全錄了下來，他心想「哈！未來這支影片發給全公司的人看，就能知道你多會推卸責任，連個簡單的工作都不會，眞是太好笑了。」

修復完後，三人回到了辦公室，經理立馬找了副理與志祥。

「剛我有聽老吳說，志祥不小心測試時把伺服器重組了，是嗎？」

「我根本沒動好嘛！」志祥聽到忍不住的大喊。

「沒有啦！應該不是志祥用的，只是不知道怎麼會這樣。」副理說。

「那用好了嗎？」經理問。

「用好了。」副理說。

「嗯……那就好，不過我等下會跟副廠長報告一下，我會說是新人不小心失誤造成的，這樣比較好解釋。」

志祥聽到後睜大眼睛覺得不可思議，副理聽到後說：「喔……好。這樣確實是比較好解釋。」

「嗯，那就這樣吧！」經理說。

倆人離開後，志祥不發一語，副理看到後說：「不好意思啊……志祥，你是新人，這樣比較好跟上級交代，體諒一下。」

「嗯……」志祥也只能無奈的點點頭假裝接受，但他心中的那股憤怒與黑色情緒已經壟罩了全身，他現在唯一想做的事就是殺了老吳、殺了這些要他背黑鍋的官。

「大哥！看開點！」士峰拍了志祥肩膀後說。

「完全沒辦法耶，學長。」志祥說。

「同事挖洞你別跳，長官甩鍋你要背。這樣才會紅啦！」

「什麼歪理？」

「第一次被挖洞、背黑鍋吼……？」士峰問。

「是啊！以前被剝削、語言霸凌……等都遇過了，背黑鍋還是第一次呢。」

「唉……習慣就好，你的未來還很長，還有很多事情要做，看開點啦！」

「嗯。」志祥點點頭後想想：「沒錯，他有更重要的事情要做，到時候就換我挖洞給你們跳、甩鍋給你們背了，忍耐點，林志祥。」

志祥就這樣過了三個月的試用期，也開始爲他的大計畫慢慢的鋪路，一條同歸於盡的黑色道路。

新人簡報

「長官只要出一張嘴就好，哪管你底下的死活。」

「各位長官好，我是林志祥，目前在資訊管理部擔任網路工程師。上一份工作也是在科技業做網路相關的領域。我畢業於台灣……」試用期過後的新人簡報是件繁瑣的事情，明明這期只有五位新人，但因爲電力機關的流動率不高，間隔上一次的新人招募大約有六年多，所以在場的長官對於每位新人基本資歷都非常感興趣。每個人的提問、訪談時間都快三十分鐘以上。

當志祥報告完後廠長說話了：「疑？你爲什麼要離開科技業啊？這邊剛進來的年

薪，可能都不到你科技業年薪的一半吧……，況且你前公司名氣那麼大，前景無限耶！」

「報告廠長，我跟長輩們討論過後都覺得在公家機關工作是最穩定的，畢竟科技業壓力大、工時長、流動率高，在這裡至少可以做到65歲，身體也不會打壞（台語）。」志祥回。

「哈哈哈！你很誠實耶！」在場的長官們都笑了。

此時志祥也是面帶微笑的回應，但心裡的黑色情緒其實是想對他們說：「一群不知死活的家伙，笑屁啊？難道我要跟你們說，未來我想毀掉這裡嗎？光新人訪談就要花費這麼久的時間在這邊拉豬屎（台語），可見平時你們這些官是有多閒。」

當這段對話結束後，座位上的其中一位經理開口說：「公司的網頁已經好久沒更新了，既然你之前待在那麼好的公司，寫網頁一定沒問題吧！幫公司做一個比較漂亮的網站吧！如何？廖經理？」

「謝謝張經理的建議，更新網頁這個部份資訊部會先做評估，再來會中報告。」廖經理回。

經理回答後，副廠長接著說：「我覺得這個提議不錯，網站也算是公司的門面，就麻煩廖經理協助一下。」

「應該是沒問題，資訊部規劃後再來會中提案。」廖經理回。

看著廖經理皺著眉頭的回應，感覺是不太願意，無奈長官欽點也只能量力而爲。此時志祥心想：「蛤？就這樣一句話就接了一份額外的工作，都不用先問我願不願意、會不會做嗎？況且我之前都是做伺服器，沒寫過網頁啊！以爲資訊背景的什麼事都要會哦？一群傲慢的傢伙！」就當志祥沉溺在黑情緒裡時，廠長突然問說：「志祥，架網站對你來說應該是小 case 吧！」

「嗯……雖然這方面我沒經驗，但我會學習的。」志祥回

「應該可以啦！名校出身的，學什麼都很快吧！」副廠長語帶調侃的回。

志祥臉雖帶著微笑點頭，但心裡一股莫名的火卻燒了上來。

他心想：「煩死了，這些官要底下幹什麼，好像都只出一張嘴就好，很簡單是吧？隨口提個構想，完全不在乎下面的人到底忙不忙，哼！」

「疑？你碩士肆業啊？怎麼不繼續讀呢？」廠長問。

「因爲家裡有些經濟狀況，最後還是決定先出來工作。」志祥回。

「喔……那很可惜耶……老家在南投，那你現在住哪？有女朋友了嗎？」

「報告廠長，在台北租房子，目前沒有女朋友。」

「喔……對，你大學在台北唸書應該對北部不陌生啦，就如你剛提到的，這邊工作確實是穩定，交個女朋友、買個房、成家立業。廠內的很多南部上來的同仁都

是這樣，認眞做、穩穩過生活，公司不會虧待你的。」

「是的，廠長。」

廠長是位快退休、和藹的中老年人，訪談之中有種父親在關心自己孩子的那種態度，讓志祥感受到些許的溫暖，此刻他心想：「我會來這就不是追求穩定與成家，唯一想做的只有毀滅與報復，謝謝你白關心一場，希望我行動的那天，你已經退休了。」

現場安靜一陣子後，人資部經理問說：「請問各位長官還有什麼問題呢？」

此時副廠長開口問志祥一連串有關專業上的問題，似乎是在考驗志祥試用期間的學習成果。當對答之間有問到比較艱深的專業題目，志祥的部經理都會幫忙回答。可怕的是，副廠長在尋問時的態度偏強勢而且語氣不是很好，似乎要把志祥考倒的樣子，所以訪談到最後有點變成像在質詢，令志祥心情越來越煩躁，此時廠長聽不下去說話了：「呃……謝謝李副的建議，接下來似乎還有幾位還沒上台報告，我們就別糾結在這塊專業領域上了吧。」

「不好意思，那就請廖經理把我剛才問的問題帶回去整理整理。」副廠長回。

「是的副廠長，後續整理完再向你回報。」廖經理回。

「嗯，那就請下一位新人上台吧！」廠長說。

會後志祥對於這位副廠長感覺很差，因為在訪談之間都有種想把人壓著打的感覺，似乎想證明自己很懂的樣子。明明只是單純的新人簡報，搞得好像碩士口試一樣，狂找碴的過程讓志祥非常不悅，那股黑色情緒又再次湧起，他心想：「好想當面就痛扁你一頓哦……一直問是怎樣？好煩啊……，這種人要怎樣戲弄他才好玩呢？啊～對了，接下來這幾年，我就努力想辦法讓你肯定我、信任我，等到那天過後，期待看到你充滿不可思議的表情，在媒體前用力的爲我的所做所爲向大眾道歉，哈哈哈……爽，想到就很爽。」

最可怕的人不是情緒失控、破口大罵、歇斯底里的瘋子，而是心思愼密、笑裡藏刀的惡魔，林志祥。

貳、愛情。

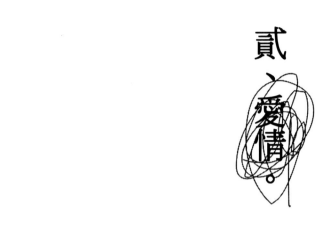

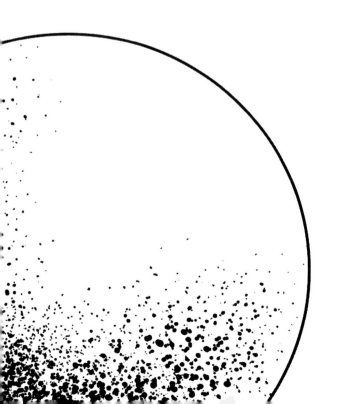

改變？

「愛上妳之前我的未來只有毀滅，如今我渴望安定。」

姍茹，她是和志祥同一屆進來的新人，個性落落大方，談吐上常掛著微笑，只要她開口都會吸引大家的注意。同屆的單身男同事幾乎都有要到她的 line，唯獨志祥似乎對她沒什麼興趣，可能是因為要專心於最終的計畫吧！

志祥與姍茹倆人雖然在不同部門，但偶而在同儕的聚會上都會聊上幾句。在某次聊天過程中姍茹開口問了志祥說：「林志祥，我好像沒有你的 line 耶！」

「喔……因為我沒什麼在用啊……」志祥說。

「沒在用，那就是有啦！手機拿出來！」姍茹伸出手說。

「好！這樣就加完啦！」姍茹幫志祥加了她的個人帳號為好友，接著說：

「我問你，你會不會看有關黑人種族議題的電影啊？」

「會啊，這種類型的電影，美國每幾年就會拍一部吧！有拍幾乎都有很大的機會得獎。」志祥說。

「對！就是最近那部得好多獎的，我好想去看，可是我朋友都沒有興趣，哈哈，你可以陪我去看嗎？」

「呃……」志祥尷尬了一下，因為從沒遇過那麼主動的女生。

「不喜歡哦？」

「沒有啦……」

「那星期六有沒有空？」

「應該有吧。」

「那星期六下午一點，西門町見。」

「喔……好。」

「說定嘍！不能放我鴿子哦！不然你就完蛋了！」姍茹逗趣的用手指點了志祥的頭，似乎像熱戀中的情侶在打鬧一番。

見面當天志祥提前到了戲院，等了十分鐘後看到遠方的姍茹急急忙忙的跑了過來說：「歹勢，歹勢，第一次約會竟然遲到了……哈哈哈。」

「沒關係啦！你吃了嗎？」志祥問完姍茹後回想她剛剛說的那句「第一次約會？」這代表什麼呢？難道她喜歡我？

「我連早餐都還沒有吃耶……突然好想吃鹹酥雞哦！走！我們去買！」姍茹很大方的勾起志祥的手往豪大雞排的攤位走了過去，這時讓志祥心撲通跳了一下，像小鹿亂撞似的，很久沒有那種想戀愛的感覺。

「老闆我要一份鹹酥雞，你要吃嗎？」姍茹點了餐之後回頭問志祥。

「不用，我吃飽了。」

「了解。老闆那我要再一份魷魚，多少錢？」

「一百二。」攤位老闆說。

「我請你吃啦！」志祥急忙的掏出錢包付錢。

「眞的嗎？可是這都我要吃的，我可沒有要分你哦！哈哈哈。」

「喔……好。」

在電影院時，看到姍茹大快朵頤吃著鹹穌雞與魷魚，志祥才發現她沒在開玩笑的，眞的一口都沒有分他吃。此時他心想：「從來沒看過一個女生跟男生第一次約會時這麼不矜持、不忌口，完全做自己。嗯……眞的還滿可愛的。」

倆人看完電影後到中正紀念堂邊走邊聊，似乎打開了話夾子，聊到忘我，都不知道在這大公園裡來回走幾次了，只見天色漸漸昏暗，姍茹說：

「走到都餓了……附近有金峰魯肉飯，好久沒吃了，我們去吃好嗎？」

「呃……好啊……」

而後，倆人經常約出去走走逛逛，感情漸漸熱絡起來，友達以上，戀人未滿。

某天約會後的告別，想不到變成了告白，當時志祥拉著姍茹說：「等一下，我有話想跟妳說，我覺得妳很活潑，很可愛，我們可以試著交往，好嗎？」

「好啊！不過我們應該很早就像是情侶了吧？哈哈哈。」姍茹笑笑的回，倆人此時在台北車站前緊緊的擁抱著。

這段期間志祥似乎忘了他的計畫，因爲邪惡的心完全被愛給覆蓋住了，黑色情緒好像就這樣消失殆盡。

「愛上妳之前我的未來只有毀滅，如今我渴望安定。」

信任？

「請不要透過第三方來驗証我說的話是對的！」

志祥與姍茹倆人在交往過程中非常開心，到處吃喝玩樂，一年內幾乎玩遍了台灣各地，也出過幾次國，也讓志祥完全忘了他來核電廠的目的。

姍茹的樂觀、善解人意恰好完全彌補了志祥的個性，唯一讓志祥覺得可惜的是，姍茹的自尊心非常高，比較不願意承認自己犯的錯誤，往往志祥可能提前告知一項會發生的事情，但姍茹還是會堅持自己的決定去做，就算眼前這是條前人走過的冤枉路，她一樣不會聽從志祥的建議，持續往前。

雖然志祥會覺得難過，但他還是義無反顧的陪著她走。不過偶而還是會聽到姍茹在抱怨：「早知如此，爲何你當初不堅持，不阻止我呢？」一聽到這樣的回答，也讓志祥啼笑皆非。他心想：「哈！沒關係，我可以接受，愛，不都是這樣嗎？」愛，一切都是因爲愛。

由此可見，志祥眞的變了很多，要是以前的黑情緒還在，志祥早就氣死了吧！可見他是眞的很愛姍茹。所以他很努力的想變得更好，脫離從前那個林志祥。但人往往的忍耐度都是有保持期限的，姍茹驕傲的自尊心，所衍生出來的不信任感，最終變成感情的裂痕。

「不要餵小蕃茄，蕃茄皮對它們來說不好消化。」志祥說。

「不會啦！我看它很愛吃啊！」姍茹說。

「狗只要是人類的食物都很愛吃啊……」

「吃個幾顆不會怎麼樣啦！」

「你不信就算了。」

交往後，他們認養了一隻柯基，名叫米奇，飼養在志祥的租屋處。姍茹非常寵愛它，吃最好的飼料，也會幫米基買衣服、裝飾品來打扮。不過她對於養狗觀念倒是不足，所以倆人常常爲了養狗的事情吵架。

「祥～快來看米基，不知道是怎麼了，這兩天食慾變好差哦！」

「飼料都不吃嗎？」

「對啊！連它最愛的西沙（狗食品）也不吃了。」

「那帶去看獸醫好了。」

「嗯嗯。」

倆人帶著米奇來到了獸醫面前，心急如焚的姍茹請醫生快點幫忙檢查。醫生照完ｘ光後發覺沒異常，於是問姍茹說：「這兩天它都吃些什麼呢？」

「嗯……飼料，還有一些肉類。」

「人吃的嗎？」

「嗯……」

「可能是吃太油了，寵物盡量不要吃人類的食物，尤其是這種特殊品種，腸胃吸收可能會比較不好。」

「喔……可是今天我看它的便便，沒有稀稀耶……我有照下來，醫生你幫我看這裡面好像有一小片紅紅的東西，不知道是不是血？」姍茹拿手機照片給醫生看。

「嗯?這好像不是血……好像某種皮的樣子。」

「可能是蕃茄皮哦!」志祥看到後說。

「啊!對,最近有吃小蕃茄。」姍茹說。

「喔……那可能是蕃茄皮,狗不太能吃蕃茄哦,對腸壁很難消化。」醫生說。

「是喔……好哦……」姍茹點點頭後說。

在一旁聽到的志祥表情有點無奈。

「應該是消化不良,我就開個藥給你們,回去餵它吧!」

「謝謝醫生。」

回程時,志祥有點生氣的在摩托車上唸了一下姍茹。

「你看!我就跟妳說過,狗不能吃蕃茄,妳就不信。」

「我怎麼知道……我想說水果好消化啊……」

「你都這樣，要透過第三方來證明我說的話是對的，這很討厭，妳看傷害的是誰呢？」

「我沒有不相信你好嗎……」

「妳沒有，但妳還是做了啊！就像上次，我說過狗不能吃骨頭，妳也不信。」

「從小觀念就是覺得狗都愛啃骨頭啊！」

「那是大骨頭！雞骨頭太小會刺破腸胃！好在當時我有發現立即阻止，不然我看米奇直接住院了。」

「那你為什麼這次不阻止我。」

「什麼我不阻止妳？就跟妳說過不能吃，妳不信，還繼續餵啊！哪有人不聽話把錯怪在別人身上的？那如果有人拿刀砍妳，他怪妳怎麼不閃開讓他砍，這合理嗎？」

姍茹沉默不語，志祥也無奈說：「每次都這樣，知道理虧就不說話。」

「我沒有好嘛……我只是不知道要說什麼。」

此時志祥也不想多說一句，心想：「有錯不想承認也不願意道歉，完全拉不下臉，這就是所謂「可悲的自尊心」吧！養隻狗就那麼多問題，如果未來有小孩，發生類似的事件，那小孩豈不是很可憐，唉……反正我也不想要小孩。」

信任是感情上一件很重要的指標，誰也不想對彼此的想法產生質疑，甚至衍生出猜忌。志祥似乎覺得，他與姍茹間還需要一段時間來磨合，倆人的愛情才能更加完整，但沒想到的是，其實姍茹對他們的未來已有更進一步的規劃。

未來？

「房子是個商品，可以拿來住也可以拿來賺錢。」

交往一年多，倆人都是公家機關的員工，不僅薪水穩定且也到了適婚年齡，所以姍茹有了想結婚的打算，開始暗示著志祥應該找個機會來家裡提親。無奈志祥目前沒有結婚的念頭，因爲他覺得辦婚禮是一件花錢、又要處理很多有關「人」的事情，非常麻煩。

他問姍茹說：「我們可不可以只公證結婚就好？把辦婚禮的錢省下來，未來可以做很多事情。」

「不行！結婚是人生大事，一生只有一次，為什麼要省那筆錢呢？就算我同意，我爸媽這關一定不會過的！」姍茹很堅定的說。

姍茹父親是一位退伍軍人，志祥與他見過幾次面後能了解，他在姍茹家的地位非常有威嚴，只要他決定的事情，其它人不敢說NO。他說話鏗鏘有力、聲音哄亮，果然是軍人出生，個性上也非常直接、敢言，這兩點跟姍茹還滿像的。

母親是一位很大方的家庭主婦，聚餐時都會請客買單，提供姍茹生活上任何資助，包括食、住、生活用品……等所有資源，所以當姍茹有缺什麼的時候都是找媽媽要，堪稱背後的大金主。

經過姍茹多次催促，志祥最終答應了結婚的事情，決定慢慢規劃，並找個機會告知雙方父母，而就在某次和女方家人吃飯後，姍茹主動提起了這件事。

「爸、媽，我們有計畫在明年結婚。」姍茹說。

「哦……不錯啊！妳們倆個也差不多到適婚年齡了。」姍茹爸媽互相點點頭說。

「那打算生幾個小孩啊？」姍茹媽媽問。

「順其自然吧……不想要那麼快就有小孩，想先享受一下婚姻生活。」

「喔……很不錯啊！先過一下新婚的甜蜜時光，不然到時候有得忙了。」

「那你們之後打算要在哪裡買房呢？」這時姍茹爸開口問了說。

「可能先租房子吧！畢竟現在房子那麼貴，將來如果有了小孩，想先把錢用在小孩身上，讓他過比較好的生活品質。而且現在聽說公托很難抽，私立的平均一個月也要兩萬多，如果加上房貸的壓力，未來肯定對錢斤斤計較，那種感覺我經歷過，所以暫時的計畫還是會先租房子。」志祥毫無顧忌的透露自己內心的話。

這時候姍茹爸帶著質疑的口氣說：

「現在不買以後會更貴！那你們老了要住哪？一輩子租房子嗎？」

「我沒有說永遠不買房啊……只是現階段可能考慮將資金用在小孩身上，等到他上大學或快出社會的時候，再來買也不遲。」志祥回。

「我跟你說，在台灣房子就是個投資商品，可以拿來住，也可以拿來賺錢。而且你倆在公家機關，貸款利率很好，買一間來住，第二間買來放著賺差價，很多人都這樣累積資產的。」

「你叔叔說的沒錯，而且你買了就租給別人，房客就可以幫你付房貸啊！」姍茹媽這時候也加入這個話題。

「就是這樣！我有一位長期在合作的房仲，一有好的新物件就會馬上聯絡我，買完後就快點租出去，然後等漲得差不多的時候就賣掉，再找下一個新標的，很多人都這樣玩的啦！不然一般上班族領死薪水，永遠無法晉升另一個階級的。」

「嗯嗯，我會跟姍茹在考慮的。」志祥回完後心想，這不就是他最討厭、最痛恨的炒房一族嗎？想當年只靠媽媽一個人兩、三萬養兩個小孩，根本買不起房子。

以前買不起，現在當然更買不起了！尤其現在高房價世代，對於剛出社會的年輕人，如果有要結婚生子、買房的打算，除非是父母親幫忙，不然對年輕的新婚夫妻，那金錢壓力是很大的！所以才有些年輕人會把生小孩和買房先擇其一啊！現今社會養兒成本高，再加上房貸的壓力，生活品質一定會變差，每天被錢追著跑，我不想再回到那種生活了。

「現在的房子，公設比都好高啊……一千萬的房子，你幾乎要花兩、三百萬買不是屬於你的領土，讓我很不能理解。」此時志祥又提出了這個看法。

「嗯……三十年前買房和現在真的差很多，現在公設差不多要三成左右。如果你不考慮台北市這片蛋黃區，就往蛋白區找吧！同樣的錢可以買比較大的。」姍茹爸說。

「可是這也要考慮通勤問題吧！如果每天通勤要兩小時，很難受耶。」姍茹說。

「是啊……不要啦！坐車坐久很痛苦耶……」此時姍茹媽也補了一句。

此時志祥沉默不語，心想：「這家人的對話，是暗示要買台北市嗎？我完全出不了那頭期款，天啊！別鬧了！他們知不知道，有些家中無法資助的年輕人，出社會後開始存頭期款，結果房屋漲的速度還比他存錢的速度還快呢！唉……這又是家庭背景與價值觀落差！好煩！眞得好煩啊！」

這段對話不禁又讓志祥回想到與前女友郁雯、和她家人吃飯時那段不好的回憶。原本想安定下來的惡魔，此刻好像快按奈不住了，黑色情緒又再次的湧現。

「志祥，別擔心啦！我們會幫忙你們出一點的頭期款的。」姍茹媽說。

「嗯嗯……謝謝。」此時志祥心想：「台北市，少說要準備兩、三百萬，如果像姍茹個性，一定想買新成屋，不可能是老老舊舊的中古屋，那豈不是要準備更多？

為什麼要這麼逼我買房！為什麼！為什麼！」

「你怎麼了？」飯後姍茹看到志祥面有難色的問。

「妳知道我家庭狀況吧！妳怎麼不先拒絕呢？」

「喔……你說買房嗎？這兩個沒什麼衝突吧？」

「怎麼會沒有衝突，妳真的是過太爽的千金小姐耶！遇到金錢的現實面，你好像都覺得很簡單一樣？都靠妳媽就好吧？是不是都不考慮別人的處境？」

「你有什麼困難為什麼你剛才不說？」

「什麼我剛才不說？妳不是知道我家中狀況嗎？」

「什麼狀況？」

「妳是不是故意要激怒我啊！妳明明知道，還要裝傻？」

「家裡窮跟你現在有什麼關係嘛…錢都可以跟銀行貸款啊！」

「不想講了！妳就是過太爽，自己賺錢自己花！完全不用給父母孝親費，妳真的遇過什麼叫做金錢的壓力嗎？」

「當然知道啊！」

「你不知道！妳完全不懂！」

「不先買房就不要買嘛，結婚後先租房子再看看啊！這麼兇扯那麼多幹嘛？」

志祥非常生氣的離開了姍茹家，站在門外的志祥，閉上眼睛，試著想冷靜一下，此時卻聽到屋裡姍茹媽媽問姍茹說：

「妳們在吵什麼啦？」

「沒事啦！他自卑心作祟，不要理他。」

「剛不是好好的嗎？什麼事啊？」

「沒事啦！不要問！」

此時姍茹走回自己的房間。

「是什麼事啊！這麼大聲？」姍茹爸問說。

「我剛好像有偷聽到，在吵有關買房的事吧？」姍茹媽說。

「年輕人才說買個房就在那邊生氣，有什麼好氣的！」姍茹爸說。

「呿~沒出息的男人，不知道看上他什麼，結婚怎麼可能不買房，沒房怎麼算個家？」姍茹媽說。

「哼！」姍茹爸哼了一聲。

姍茹爸媽這段對話，站在門外的志祥完全聽在耳裡，並默默離開著這傷心地，腦中都一直重覆浮現出「呿~、哼！」這兩個非常帶有鄙視的語助詞，這一刻，那個想同歸於盡惡魔就在黑情緒的帶領下再次覺醒了。

正能量？

「你很想用正面的態度看待一切，但往往身邊的人事物，都會把你陷入負面情緒的深淵。」

「若常聽到這個人在你面前抱怨、說別人壞話，那有很大的機會，他在別人面前也會這樣講你。」

那天過後，志祥深深的體會到這句話的眞諦。以往與姍茹家人吃飯、聊天時也是經常聽到她家人在罵政治人物、拿自己的親戚甚至兄弟姐妹的人格、品性拿來揶揄、調侃。對於貧窮的低端人口、黑社會、流氓等話題更是感到不屑，開口閉口的起手式都是充滿鄙視的意味，假如電視上有出現類似的新聞事件，他們會說如果是在北韓，早就全都射殺等極端言論，讓志祥感到煩躁。

「呿！」「哼！」是他們倆老最常出現的語助詞。

那天離開後，志祥腦中時常會浮現這兩個語助詞，使他整個情緒又陷入到當時站在門口聽到的那樣，這感覺似乎就像當著你的面鄙視你一般，讓志祥非常痛苦並感到無比的憤怒。不過另一方面，他也非常想保持這段關係，因爲現在他真的很想成爲一個正常人，成家立業，過著樸實無華的生活。就在志祥與黑情緒持續在糾結時，姍茹打來了。

「你到底是怎麼了啦！明明是很輕鬆自在的聊天，爲什麼要那麼生氣！」姍茹在電話中罵著志祥。

「我當時在門口聽到，他們對我暫時不買房的想法充滿歧視的意味。」志祥回。

「什麼啦！我是沒聽到啦！是不是都你在亂想的？就算有，也是沒有意義的碎念而已啊！幹嘛看的那麼重？你很玻璃心耶！」

「我明明就有聽到！哪有在亂想！在背後說人壞話很好嗎？」

「所以勒？」姍茹這時語氣帶點不耐煩的意味，讓志祥整個火都上來了。

「你現在是不相信我，要激怒我就是了？」

「我沒有不相信你，也沒有要激怒你，我是想表達，聽到了又怎樣呢？」

「很不爽啊！」

「不爽，然後呢？長輩有長輩的顧慮不是嗎？本來結婚就要有一個家，不是很正常的事嗎？」

「我從來沒有說不給你一個家啊！你爲什麼都沒仔細聽懂我的想法與規劃？」

「我有啊！」

「有？那你還問？」

「唉，你眞的很奇怪耶？有病快去看醫生啦！」姍茹很生氣的掛了電話。

此時此刻，志祥整個火都上來了，並且很用力的一拳敲打了桌子，整個辦公室的人都轉頭過來看。

「志祥，家裡的事去外面講。」副理說。

「不講了。」志祥說。

就在這個時候，老皮股吳大哥站起身來，轉頭看了志祥，眼神帶有嘲笑的意味，並淡淡說出了「哈～」這個語助詞。

這一個動作與語氣，志祥看到整個勃然大怒，像失心瘋似的拿著身邊的美工刀，眼神充滿著殺氣往吳大哥後面衝了過去。

「林志祥！」此時士峰大叫了一聲，整間辦公室的人都聽到了。

「媽的！你 server 備份的計畫做完了沒啊？」從沒聽過被譽爲好好生先的士峰學長這麼生氣的大叫。

此時志祥好像被點醒了，立馬冷靜了下來，心想：「對！計畫！若就這樣殺人被關，似乎就太浪費了！」

「走啦！」士峰拉著志祥走進了機房，倆人默默的坐在椅子上不發一語。

過不久士峰說話了。

「我剛有聽到你在講電話，跟女朋友吵架了？」士峰問。

「是啊！」志祥一五一十的告訴了士峰。

「你們的私事，我也不好意思給什麼意見，就……彼此冷靜一下吧！」

「嗯……」

「剛……你不是有股衝動想要一刀刺向老吳？」士峰問。

「對！」

「不值得！他不值得你這麼做。」

「謝謝學長，我知道是你阻止了我。」

「不會啦，就……會失去理智的人我又不是沒遇過。之前跟你說過被逼走的那位同事啊！要打副理前也差不多就這樣。」

「是喔……」

「我等下給你一張名片，是那位同事之前看過的諮商師，他轉調前留給我的。我也有去找那位諮商師聊天過，還不錯啦！滿正的哦！」

「學長你這麼樂觀，也會去諮商哦？」

「正能量是一定要的啊！但在社會上生存就是很難保持啊！你很想用正面的看待一切，但往往身邊的人事物都會把你陷入負面情緒的深淵，不是嗎？」

「說得太好了！學長！」

「去聊聊也不錯啦！走吧！去吃飯了。對了！等下老吳一定到處跟別人講你跟女友吵架的事情。」

「你怎麼知道？」

「很常聽到他拿別人的事在當話題聊天啊！別理他就好，他就是這樣的人。」

「嗯……好。」此刻志祥心中浮現的念頭是…

「我不會理他，但我會想殺了他，撕爛他的臭嘴與那愛鄙視的眼神。」

此時志祥知道它回來了，黑色情緒完全回來了，那麼，計畫就如期進行吧！

價值觀

「沒有任何一方的價值觀是對或錯，你也不用銜接原生家庭所給與的價值觀。」

「我的故事、成長背景就差不多是這樣。」志祥將自己的親身經歷、近期和姍茹吵架後的事情，一五一十的告訴了諮商師，當然大計畫是絕口不提的。

「我能理解你的成長環境，靠母親一個人微薄的薪水把你和弟弟拉拔長大。一般這樣經濟不穩定的家庭，除了父母親會有一股壓力外，間接都會影響到孩子。我很同情你，我完全能理解。」諮商師說。

看著志祥不發一語，諮商師接著說：

「聽你求學階段的故事後，我可以感受到你母親那股壓力與她的辛勞，相信她對金錢一定斤斤計較，能省則省，都只是爲了不讓你們餓著吧。」

「嗯……」志祥點點頭。

「這樣的成長背景所衍生出來問題，在你成長過程中，可能就顯得比較自卑，而且會忌妒別人，尤其是遇到家庭比較富裕的同學，那種感覺會特別明顯，是吧？」

「是啊……所以……，這算一種窮傷痕吧？」

「窮傷痕啊？嗯……算是吧！你可能就是這樣被束縛住了吧！」

「可能吧……永遠擺脫不了。」

「現今社會上不太可能有人會當面笑你窮酸啦……但如果有跟你同樣環境出身的

人，不小心聽到或被嫌棄，這都會造成這樣的心理創傷，是很正常的。」

「變得難以抹滅的記憶。」

「是啊，我看你記得很清楚，可見這些回憶傷得你很深，讓你有妒富愧貧或者是一種價值觀偏差的心理作祟，所以容易產生削弱信任、社交焦慮、憂鬱等情形。」

「應該吧……」志祥乾笑回。

「我覺得這是一定會的，價值觀的偏差或不同，在社交上或者另一件上都會有非常大的問題。爲什麼別人有？我沒有？有時候比較自卑的人就會想一直花錢包裝自己，怕在親朋好友之間漏氣。網路社群媒體上你可以看到很多這樣的人，但我知道你不是。人一但有了比較就會產生焦慮，會想辦法去贏別人或者達到想要的，但人比人永遠氣死人，跟富裕的人是永遠比不完的。這會讓你陷入一種無限迴圈，你身邊的人也會感到一股壓力，因爲他們可能不知道要怎麼處理你這些需求與情緒，可能漸漸的就會離你越來越遠，進而產生一些憂鬱的情況。」

這時志祥開口說：「我記得我弟跟我說過一句話：不要跟富裕的人比較，貶低自己的價値，試著看看那些比你更窮困的人，你會發現你過得很好。」

「很好啊！弟弟說得很對。」諮商師點點頭。

「但我覺得這是窮人的自我安慰，完全不會進步。」

「也不能這麼說，你看你的職業，如今也算是突破階級複製了，不是嗎？」

「我一路上努力拼到好大學、好公司，發現身邊的人原生家庭都算不錯，爲了突破階級複製，我眞得好累。」

「嗯，只要不妄自菲薄向下沉淪，基本上你都會保留一個跟你原生家庭差不多的層級。你也是經過非常大的努力才做到的，很棒啊！」

「當時很想拼啊！哪怕是長官要壓榨你的工時，不付你加班費、叫你爲公司犧牲奉獻……等，你都可能會爲了提升你的職位與薪水去努力；有些家庭不錯的，他就沒有往上爬的意願，只想穩穩的領薪水而已。」

「嗯，不過這有可能也是取決於個性上的問題啦！我似乎可以了解，你為什麼會有憤世嫉俗的想法，是不是因為比較？或者是朝著金錢、物質的目標前進而覺得累了呢？你最缺少的是身邊人的愛與關懷，試著多溝通、多相處，透過聊天，讓家人了解你的想法。我相信身邊有愛、有人關心你，你的自信心就會提升，就不會產生忌妒與怨天尤人。對人感性講通，對事理性分析，相信你會更好的。」

「屁……都是屁。」此時志祥冷冷的回。

「嗯？」諮商師皺了眉頭問。

「家庭成長背景的不同，價值觀是根本是無法改變的！」志祥很篤定的說。

「是啦！要改變一個人的想法或價值觀真的很難，但沒有任何一方的價值觀是對或錯，你也不用銜接原生家庭所給與的價值觀，就過得開心點吧！」

「呵……再說吧！」

「我舉例我和我婆婆的例子，真的是一家不容二女，百年傳承。當年嫁給我老公後跟婆家的價值觀也是完全不合啊！」

「那妳會想殺了她嗎？」

此時諮商師愣了一下。

「是吧？妳有想過要怎麼殺了妳婆婆吧？」

「並沒有，我是諮商師，我會調整我自己的思緒。」

「呵……你有。」志祥此刻眼神非常篤定並冷冷笑了笑。

「林先生，今天諮商的時間也差不多了，我會建議你轉診掛精神科，請醫生稍微開個藥，你情緒與思維的轉變才不會那麼大。」

「好。」轉身離開前志祥對諮商師說：「Follow your heart－Do the right thing。」

諮商師聽到後瞪了志祥一眼，隨後把門給關上，此刻門外僅環繞著林志祥詭異又邪惡的笑聲。

一把槍

「眉角，總是在碰觸後才領悟到。」

人遇到生命威脅時必定會反抗，這是生物的本能，志祥了解這點。他思考著在大計畫執行過程中，如果只拿一把刀這種單一的利器，是不足構成威脅的，尤其是遇到對方反抗時必免不了傷到自己，如果遇到人多的時候更是難以招架，可能被制伏的反而是你本人。

槍，沒錯，就是缺一把槍。

當你掏出槍時不僅會讓人懼怕，還可以操控他的行動、生死，就因爲對方性命的主導權都在你手上，多麼運用自如。但是……要怎麼搞到一把槍呢？雖然現今台灣槍枝氾濫，但志祥必竟不屬於那個圈子，要搞到一把槍是非常有難度的。

他想到了一起在新訓中心當兵的弟兄，阿中。記得他是非常有義氣且有黑道背景的人，一把槍對他來說應該是不難吧？

志祥開始在網路上搜尋他的名字「張耀中」，找到一張大頭貼上似曾相似的短髮男子，穿著吊咖、在手臂上明顯可看到一大片的刺青圖案。

志祥心想，應該就是他了，於是丟了個訊息問他說：「你是阿中嗎？我是志祥啦！你還記得我嗎？在新訓中心同班的。」

過不久志祥馬上就收到加入好友的通知，他看著阿中臉書上的生活照，似乎很常出沒在酒店、不是摟著小姐就是和朋友喝著酒、抽著菸，花天酒地的生活。

「我記得你啦！大學生！」阿中此刻回覆訊息。

「很久不見了，看你生活過得很爽呢！身邊都是辣妹。」

「還好啦！你現在在哪？找一天出來呷飯。」

「我在台北工作。」

「喔，我在台中啦！改天下來要記得找我，我帶你好好玩。」

「哈，好啊！你要帶我玩什麼。」

「看你要玩什麼啊～大學生，沒結婚就帶你去鬆幾勒。」

「眞的哦！那我這禮拜六日馬上下去。」

「好擔你丟來啊！」

「哈哈！那這禮拜見嘍！」

週末阿中果然就帶著志祥來到一間小酒店。

一進門，包廂裡都是濃妝豔抹的辣妹，桌上也都擺滿了菸酒。從沒見過這種場面的志祥，感覺特別不自在。

阿中先帶志祥到一位中年男子旁邊說：「大仔！這我做兵熟識的！讀台大的呢！」

「哦～叫啥名？」大哥問說。

「叫我阿祥就 a 塞啊！」

「書讀那麼高，還敢來這邊玩，買麥哦！」大哥講完馬上拿起一杯酒向志祥示意，阿中看到後也隨即拿著一杯酒給志祥。

此時志祥有點猶豫，因爲他是不太喝酒的人，並很直白的說：

「歹勢，我不喝酒的。」

「阿~沒意沒思!哩是看我沒哦?」大哥臉色一變,阿中隨即說。

「歹勢,大仔,他第一次來啦,我替他喝啦!」阿中馬上乾了一杯。

「好啦!你們好好玩啦!」大哥揮揮手示意後,阿中就帶著志祥到另一個小包廂。一進門阿中立刻對著志祥說。

「幹!哩針正就白目耶!你這樣是不給我大哥面子,你知不知道?」

「喔……歹勢啦!我眞的不太喝酒啊!」

「不會喝至少也要稍微喝一口致敬一下啊!這是做人的眉角。」

志祥此刻回想,他好像眞的不太懂人際關係的眉角。

回憶起某天公司設備出了問題,查明原因後請別的部門過來檢修。到現場時發現他們經理也跟著技師一起過來。兩邊稍微討論後,他們經理跟技師說先檢查某個地方,志祥聽到後立刻說:「經理,那邊我檢查過了,你可以直接檢查別的地方。」

此時士峰拉住志祥說：「經理脾氣很差，不要給他下指導棋。他們自己查就好。」

當下志祥立刻恍然大悟！啊！太直接好像有點白目。

其實他只是想節省查修時間，快點結束罷了，早早收工不是很好嗎？

眉角，總是在碰撞後才領悟到。

志祥被阿中唸過後才知道，做人處事的眉眉角角眞的是太煩了。

「來！唱歌！」阿中接著摟著酒店小姐，開始唱著歌、唱著酒，志祥也隨著一起狂歡。倆人坐在椅子上休息時志祥問阿中說：

「阿中！你現在在做什麼啊？」

「跟著我老大在議員底下工作啊！」

「哦？那都在幹嘛啊？」

「跑行程、喬事情啊！問那麼多幹嘛啦！」

「嗯……其實今天來我想問你，可不可以幫我弄到一把（志祥比了7的手勢）。」

「幹！你要衝啥啦？」阿中感到疑惑。

「想要嚇嚇人，給點警告。」

「那我找幾個小弟上去台北幫你，你再給他們一點車馬費就好啦！拿槍幹嘛？」

「就算我拜託你啦！」

「我這邊沒有啦！」

接著志祥從包包拿出一疊鈔票出來。

「你沒有沒關係，但只要你給我賣家，這30萬元就給你當介紹費。」

「幹！你來找我就是爲了這個哦？」

「沒有啦！只是順便請你幫忙找東西而已，拜託好不好。」志祥露出非常誠懇的表情，並把手上那一疊鈔票交給阿中。

阿中想了想，拿出手機給了志祥一支電話。

「打這支啦！你若出事情千萬不能把他供出來，不然你會死很慘。」

「這我當然知道！謝謝你。」

「來啦！今天這攤祥哥請的，給妳們一些沙必束。」

阿中發給小姐們各三張千元紙鈔。

「哇！謝謝祥哥！」酒店小姐立即坐擁上來抱著志祥。

「大學生，好好玩嘿！我有事，先來去啊！」

「要走啦？」

「改天有緣再見嘿！」阿中揮揮手後離去。

此時志祥似乎可以感受到阿中非常失望，可能他覺得，志祥這次來找他的目的只是爲了買槍，不是爲了和他敘舊，有種被利用的感覺。

「阿中還是那麼有義氣，是値得深交的人，眞是對不起他了。但……我們是不同世界的人，眞得能一起做好朋友嗎？」坐在椅子上的志祥思考著這個問題，完全無視坐在他的大腿上磨蹭與正在歡唱的酒店小姐們。

出生背景不同，你未來的環境是眞的與眾不同。

参メ計畫。

爆料

「人啊！總是遇到生命威脅時才會發覺自己的行為，是多麼得可笑。」

萬事俱備，只欠東風。

志祥思索著如何掌握全廠區的鑰匙，畢竟自己工作上幾乎沒辦法熟識保安人員，最多也只能是打打招呼的點頭之交。

這時志祥接到了一通電話。

「志祥，弟弟最近被資遣了。」志祥媽媽。

「哦？爲什麼，美語補習班不是上的好好的嗎？」

「校外教學時不小心出了一場車禍，補習班、家長都把錯怪在弟弟上。」

「也太可惡了吧！」

「眞得不知道該怎麼辦，他工作又沒有像你這樣穩定，唉……」

這時候志祥突然想到，前幾天有偷聽到保安人員在聊天時，再討論有人離職的事，而且保安隊長正急著想辦法徵人，就這麼恰巧，弟弟剛被資遣，如果能來補這個缺額，簡直是天上掉下來的禮物。

「我這邊有保安人員的缺額，我來問弟要不要來吧！」

「眞的嗎？太好了！你們倆一起在台北工作，互相照應，我也比較安心。」媽媽非常開心的說。

天下父母心，都想看到自己的小孩有穩定的工作、成家立業。志祥媽媽卻不知道這是一條助紂爲虐的不歸路。如今已失心瘋的志祥，絲毫感覺不到任何愧疚，他心中唯一的念頭只有同歸於盡。

這天，終於來臨了，志祥幾乎快忍不住心中的那股衝勁。他的計畫是這樣的，在行動的前一個禮拜，一定要讓各主管、同事知道老吳這個老皮股，其實是那麼沒內材、虛有其表。志祥收集了近一年老吳上班看電影、滑手機……等偷懶的照片、影片，並轉寄給各家新聞媒體。

【肥羊公務員，坐領高薪享盡福利卻無同等的貢獻。】過不久此新聞標題一出來，廠長立即將經理、副理找去。

當天看到老吳那不知所措的驚惶表情，志祥內心竊竊自喜，爽得不得了。

公司最後決議，爲了息事寧人不把事情鬧大，逼著老吳提早退休，並揚言嚴懲爆料者。

爆料者通常都是臨近的同事，用跤頭趺（膝蓋）想也知道，所以首先被主管約談的就是士峰。他與經理談完回座位後，小聲的跟志祥說：「志祥，待會可能換你去喝咖啡啦！記得死都不要承認。」士峰彷彿知道是志祥幹的好事。

「我會承認。」志祥很篤定的回說。

「有guts。」士峰皺了一下眉頭。

這時經理果然把志祥找去辦公室。

一坐下時經理開口說：「志祥，你對吳哥平常在工作上有什麼看法嗎？」

「是我去爆料的。」志祥直接承認了這件事情，經理也愣了一下。

「呃……你這樣做不僅會破壞公司形象，而且從廠長下到副理都有責任，你知道嗎？」

「當然啊！」

「所以你是故意的？」

「嗯。」志祥此時點點頭，經理也嘆了一口氣。

「嗯，你可以離開了，請你副理進來找我。」

經理約談完副理、老吳後，爆料者是誰，組上同仁也幾乎有了底。

下班前，老吳非常生氣的來到志祥座位前說：「我是什麼地方惹到你了？」

「就看你愛飄、推工作、背後講人壞話啊！」志祥冷冷的回。

「哪裡講你壞話，你拿出證據啊！不然我告死你。」

「對啊！沒錯啊！我知道啊！」志祥故意講出老吳與人討論工作時的口頭禪。

「拿出來啊！」老吳嗆。

「對啊！沒錯啊！我知道啊！」

「肖仔！供啥洨啊！」老吳很生氣的說。

此時志祥突然拿出一把小支的水果刀指向老吳。

「恨我啊？那殺了我啊！」

「好！麥麥麥（不要，不要）。」看到志祥拿出刀子後老吳立刻退了幾步。

此時全辦公室的人都嚇傻了，紛紛勸告志祥把刀放下。

志祥輕挑的說：「哼！人啊！總是遇到生命威脅的時候才會發覺自己的囂張跋扈、口無遮攔，是多麼得可笑、不值得。」

志祥丟下水果刀後提著包包離去，此時誰都不敢攔住他。辦公室只留下眾人難以置信的眼神。

意外插曲

「原來，實現黑色情緒，是這麼舒坦的事。」

今夜，就在今夜，這天凌晨是弟弟志豪值班，等了好久的志祥終於要展開他計畫已久的大事。這時一通電話響起，手機一看原來是姍茹的來電。

「喂~今天晚上有空嗎？來我家聊聊，好嗎？」

「嗯……好。」志祥思考了一下，想說離午夜還有一段時間，那就順路過去告別吧！當作是最後一次見面。

一進到姍茹家，志祥主動得向她父母打了聲招呼。只見她父母冷冷的點頭後，繼續看電視，似乎完全無視著志祥，此時志祥內心的憤怒與黑色情緒立即蜂擁而上，彷彿有股衝動想直接給他們倆一刀，但志祥冷靜的告訴自己，要忍住，今晚還有更重要的事要執行，千萬要忍住。

姍茹把志祥帶到她房間後問他：「你最近還好嗎？」

「還可以。」

「那……你還想跟我繼續嗎？」

志祥沉默不語，此時聽到外面有人開門的聲音，原來是姍茹的弟弟回來了。他是一位比姍茹更依賴家中資源的人，很年輕就結婚了，也靠著爸媽的資助買了房子、車子。個性上略帶囂張、有點天不怕地不怕的感覺。

聽姍茹說過，弟弟就是從小被媽媽寵壞了，小時候要什麼有什麼，要不到就會哭鬧，然後媽媽就會妥協，這種個性也讓他在求學過程中就是個小惡霸，但媽媽也是一味的縱容、視而不見，一鬧出事不是先責怪，反而是安慰，或許就是因爲這樣的溺愛，造就他今天的個性吧！

「哦～有客人啊？」姍茹弟問媽媽。

「姐姐他男朋友。」

「哦……就是那個窮鬼不買房的人啊！自己不努力還怪東怪西的。」

「對啊！呿！」

這段對話完完全全聽到志祥的耳裡。

沒錯！又是那個帶有鄙視又輕挑的語氣，此刻林志祥終於忍不住，從包包中掏出一把手槍出來，往向姍茹弟弟走了過去。

姍茹看到志祥拿出槍後，完全嚇到不發一語，散發出難以置信的表情。

碰！

志祥直接從姍茹弟弟的頭上開了一槍，腦漿散出到姍茹媽的臉上。

姍茹媽順間大叫：「啊～～～～。」

此時志祥回頭看看姍茹，已經是嚇到腿軟，跪在地上。

姍茹爸聽到後立即從房間衝了出來大喊：「你在幹什麼！為什麼要殺人啊！」

只見志祥冷冷回：「你們的手，全舉起來抱頭，蹲這邊，誰再叫，我就殺誰。」

接著姍茹還有她爸媽三人，抱著頭，蹲在志祥指定的位置上。

「請問一下陳爸爸陳媽媽，為什麼我一進來要這樣無視我呢？」志祥問著姍茹爸媽。

「我沒有！我沒有！」姍茹媽。

「有話好好說，好好說。」姍茹爸。

「那我問你，爲什麼要炒房呢？弱勢族群和像我這樣沒資助的年輕人有多可憐你知道嗎？」

「我知道，我知道。」

「你知道個屁。」

此時姍茹爸突然衝向志祥，試著要搶下那把槍。

好險志祥反應夠快，先一腳踢了姍茹爸後，往他肚子上開了一槍，姍茹爸立即倒地哀嚎。

「啊！他媽的！你這個王八蛋！窮鬼！」話說完，志祥立即又補了一槍。

碰！

只見姍茹爸躺在地上，無聲無息的死去。

「換妳啦！阿姨。」

「拜託！拜託！你要錢我全都給你，不要殺我們了。」

「說笑啊！阿姨，你現在給我，我要怎麼花呢？我只想問妳，爲什麼那麼愛用鄙視的眼神看人呢？」

「對不起……」

「還有，爲什麼那麼愛在背人抱怨別人呢？連自己的兄弟姐妹都可以拿來說嘴嘲諷，不覺得可恥嗎？」

「對不起……」

志祥拿著槍托，狂打姍茹媽的眼睛，幾乎快把她打瞎了。

「舌頭伸出來，伸出來啊！」接著志祥拿著剪刀，狂刺向姍茹媽的嘴並唸著：

「呿！呿！這不是最愛鄙視人的口頭禪嗎！」

「拜託你，不要這樣……」沉默已久的姍茹說話了。

此時志祥轉過頭說：「妳知道嗎？我曾經很愛妳，很想跟妳好好走下去，但妳們眞的是太瞧不起人了。」

「是我錯，是我錯了……拜託你放過我們。」

「唉……晚了，一切都晚了。」

碰！碰！

志祥朝著姍茹媽媽開了兩槍，姍茹整個大崩潰，嚎啕大哭，隨即昏了過去。

志祥將她抱到房間，用膠帶綑綁雙手與雙腳後離去。

他靜靜的走向沙發上坐著不發一語，臉上露出詭異的笑容，但似乎又帶點心滿意足的表情，因爲他終於抵擋不了黑情緒的誘惑，做了他很想做的事。

「原來，實現黑色情緒，是這麼舒坦的事情啊……哈哈。」

眼前這個人已不是瘋子，是個充滿怨念的惡魔，林志祥。

行動

「失心瘋的男子。」

午夜即將來臨，志祥開著車在往公司的路上買了鹹酥雞和飲料，並在裡面加了安眠藥粉，準備給弟弟志豪好好享用。

一到公司，看到弟弟從監控室走了出來，志祥將車窗拉下後笑笑的打了聲招呼。

「嘿，志豪。」

「哥，這麼晚又來搶修哦？」志豪問。

「對啊，又有網路通訊不良的情況發生，說要馬上處理。」志祥說。

「辛苦了。」

「你也是啊，大夜班很累的。」

「還好啦，凌晨幾乎不會有人啊！」

「也是啦，那我先進去嘍。」

「好。」

揮手告別後，志祥拿著食物與飲料再次回到監控室。

「哥，你不是要去搶修嗎？跑來幹嘛？」志豪問。

「看你夜班會餓，我買了鹹酥雞和飲料給你。」

「哇！這麼厚工（台語），謝謝啦！」

「恭喜你通過試用期了！」

「哈，還好啦，這份工作滿單純的。」

「不會啊，你很重要，有些事情沒有你很難做到。」

「哪那麼誇張？」

「哈，不聊了，我先進去了！」

「好，掰掰。」

與志豪告別後志祥在車上等著安眠藥發效的時間。

經過快一小時，志祥再次走到了監控室，偷偷的打開了門，看到志豪已經整個昏睡了過去。

「看起來藥效蠻強的。」

接著志祥將監控室的電腦全部關閉，拿了幾把鑰匙後離去。

在進控制室的門口有一位駐守的保安人員，保安人員看到志祥後起身問說：

「請問這麼晚，你進來有什麼事嗎？」

「搶修啊！」

「請問你是哪一個部門呢？」

「資訊部。」

「你稍等，我打電話問一下控制室。」

保安人員拿起了電話，並看到志祥衣服上沾著血跡。當他覺得不對勁時，志祥已經發現了，並拿著槍指著保安人員的頭。

「嘟嘟嘟，喂～，這裡控制室，有什麼事嗎？」

志祥眼神示意了一下保安人員。

保安立刻回電說：「喔……沒事，想問一下今天電廠有什麼設備故障嗎？」

「沒有啊！」

「嗯……，那沒事了。」保安人員立刻掛了電話。

「嗯……很好。」志祥笑笑的說。

「不要殺我，我馬上離開。」

「不殺你，我怕你會破壞我計畫啊！」

話一說完，保安人員想拿起身上的棍棒打向志祥。

說時遲，那時快，志祥看到後也立即向保安人員開了一槍。

碰！

這聲槍聲傳到了控制室裡，裡面一名員工立馬走了出來看。

不幸一開門，就馬上被志祥用著槍指著頭。

「呃……志祥啊！」

「進去。」

「有話好好說啦！我有聽說你最近爆料的事，老吳的人品我也有耳聞，其實我覺得你幹的很好啊！」

「閉嘴，進去。」

這名員工是和志祥同期，叫家瑞，是位話很多的人，隸屬於控制室的人員。

「你最近除了老吳這件事還有遇到什麼事情嗎？心情不好眞的不需要這樣，這是要坐牢的耶……」家瑞說。

「開門。」志祥要家瑞把控制室的門打開。

只見家瑞用手指感應了門鎖，逼逼兩聲，門開了。

「喂喂喂！大家不要動啊！沒事的，沒事的。」家瑞對著控制室的人說。

「很好，幫我講了嘛。」志祥說。

「還好啦！」

「還有呢？手勒？」

「大家把手舉起來！呃……抱頭好了，比較不會酸。」家瑞再次大聲告知控制室的人員。

「很有愛心嘛。」志祥調侃的說。

「還好啦。」

「帶我去控制反應爐功率的操作室。」

「你到底要幹嘛啦？」

「媽的，許家瑞你安靜點行不行啊！」志祥拿著槍托敲打了家瑞的頭。

一進操作室，在裡面的兩名操作員嚇了一跳，立馬舉起雙手。

「升高反應爐功率。」志祥立即用槍指著操作員說。

「你升高要幹嘛？」其中一位操作員說。

「關你屁事啊！叫你做就做。」

「不做怎樣？你要開槍嗎？」

碰！

一聲這名操作員應聲倒地。

志祥槍再指向另一名操作員。

「升！」

「喔……喔……升高功率。」

操作員按了一個按鍵後不久，操作室的警報響了。

「這個警報聲是什麼意思？」志祥問了操作員。

「停機了啊……」操作員說。

「爲什麼會停機？」

「系統都有保護機制啊…」

「幹！怎麼會這樣？」志祥非常生氣，在操作盤上到處亂按，進而產生更多警報。

「吵死！啊～～～走，帶我去反應爐那。」志祥繼續挾持著家瑞往反應爐那去，在充滿著警報聲響的操作室裡，現場留下驚惶失措的操作員與一具冰冷的屍體。

往反應爐的路上家瑞對著志祥說：「志祥……你到底想幹嘛？你直接跟我說，說不定能幫助你。」

「閉嘴！走！往哪？」

「你是不是天眞的想要把核電廠搞爆炸吧？」

「不行嗎?台灣有多少有錢人都是靠炒房地產致富的!今天,就是讓房價爆跌的最佳時刻。」

「我跟你說,根本不可能的事。保護系統太多了,而且很敏感,一碰觸到警示值很快就停機了。」

「那我就他媽的用槍打爆反應爐。」

倆人走到的反應爐室的門口後,家瑞說:

「呃……沒有鑰匙可是進不去的,我回去拿。」

「我有。」志祥拿出鑰匙後,家瑞一臉驚訝的表情。

「你眞是……準備周到啊……」

「去把門打開。」志祥把鑰匙拿給家瑞。

當反應爐入口門開啓後,家瑞跟志祥說:

「開了，裡面輻射很高，你要不要去穿一下防護衣啊？」

「閃開！」

志祥立即朝向反應爐開了好幾槍，但無奈屏蔽實在太厚了，根本無法造成破口。

當子彈用盡後，志祥跪在地上，失望的表情加上無奈的傻笑。

「哈哈哈……我真是天真。」志祥說。

家瑞來到志祥旁邊，志祥轉頭一看，家瑞身上已穿好了防護衣。

「哈哈……許家瑞你那麼怕死啊！」志祥說。

「對啊！輻射很高，傷害很大耶！」

「那你還不快滾出去。」

「陪你聊聊天啊！」

「呵……你還眞他媽的有愛心啊！怎樣？有沒有被嚇到尿褲子？」

「還好啦……你最近工作上是遇到什麼困難嗎？」

「沒有啊……工作一直是很順遂。」

「我想也是，你升得比我快，應該不是工作上的問題。那……最近和姍茹吵架了吧？」

「你怎麼知道。」

「電廠這麼小，有八卦馬上就知道啦……，有人說你們中午都沒有一起吃飯了，八成就是吵架。咦？你們不是快結婚了嗎？」

「不結了。」

「爲什麼啊？」

志祥一五一十的把事情的經過告訴了家瑞，但沒有說出今天滅門的事情。

「喔……我能體會啦！門不當戶不對，想法是完全不同的，現在房子眞的很貴啦……難怪你會想這樣做。」

「今天完全是徒勞無功啊……」志祥嘆氣的說。

「嗯……我家境也不是很好啦……懂那感覺。」

「哦？是嗎？」

「我是單親家庭長大的，媽媽很早就生病過世。爸爸平常就忙於工作，放學回家後都是一個人吃飯、洗澡、家做事，孤孤單單的……後來我都會找同學來我家一起玩，不過等他們回家後，還是有種寂寞的感覺。所以長大後就不喜歡待在家，常常會找朋友出去、聊聊天什麼的。」

「嗯……所以你才會那麼多話，是因爲不甘寂寞，到處找人聊天嗎？」

「唉～應該是喔！」

「哈。」志祥笑了笑。

「我後來也遇到很多朋友，跟你一樣發現如果出身家庭背景不同，在想法上就會有落差。」

「那我問你，你覺得家庭富裕的小孩，是不是都比較沒有同理心？」志祥說。

「是有那種感覺啦！可能是因爲富裕讓他們無憂無慮的成長，造就他們強大的自信心吧！我也有遇過這種人啊！都會把自身的貧窮歸咎於不努力、不上進，可是我們有說不出來的苦衷和處境，是他們無法體會的。」

「是啊……」志祥點點頭。

「我跟你舉兩部電影的例子，大佛普拉斯！其實裡面有些角色也不算是不努力，他們的生活圈也算是比較社會底層的環境，幾乎很難翻身，也不懂得怎麼去規劃生涯目標，常常做什麼事都是徒勞無功。」

「跟我爸很像。」

「再舉例一個我很喜歡的電影，小丑，你說小丑他不認眞不努力嗎？沒有！他非常想要成爲一位喜劇演員，無奈小時候被虐待的陰影與他本身的疾病，讓他在成長與求職階段一直受挫，也沒有人能體會啊！雖然說他在電影最後眞的成了一個受人矚目的反派英雄，但從另一個角度來看，是不是他也算成功了呢？」

「幹……你真話很多呢。」

「呃……在輻射這麼高的地方聊天，我也是第一次啦！」

「你走吧！」志祥揮揮手示意家瑞離開。

「一起出去吧！」家瑞伸出手來。

「不用了，我想留在這。」

「留在這幹嘛啦！」

「你真的很煩耶……我殺了人、鬧了事，你覺得我還會想活嗎？」

「台灣這麼注重人權，只要有精神病殺人都不會判死啦！你就裝一下，說不定關個幾年就可以出來了。」

「怎麼裝？」

「嗯……和小丑一樣吧！裝個有反社會人格的精神障礙者。」

「好……」志祥笑笑的點了頭。

此時家瑞感到身體發熱、昏眩噁心想吐。

「你快出去吧！」志祥看到家瑞反應後說。

「你眞的不出來嗎？」家瑞問。

只見志祥搖搖頭，靠著牆上，揮揮手向家瑞示意告別。

在環境非常炎熱的反應爐旁，只剩一位充滿絕望、失心瘋的男子，林志祥。

過不久志祥因輻射傷害漸漸昏了過去。

在夢裡他變得幽默風趣、能言善道。工作上春風得意，是長官眼前的紅人，也是同事中的好榜樣。愛情上他已成家立業，有了兩個小孩，一男一女的完美配置。

最棒的是，他在台北市蛋黃區買了一間自己的房子，每到假日就開著名車帶家人到處遊玩，住高級飯店、吃著高檔餐廳。

在這個世界裡，再也沒有人瞧不起他、說他壞話，黑情緒的誘惑早已消失殆盡，唯一存在的只有一位樂觀進取、無憂無慮的男子，林志祥。

作者的話

原生家庭、職場、愛情所製造的傷痕回憶，有時是難以抹滅的，唯有接受它、去了解、釋懷，你才有機會持續往前走。像我就是把它寫下來，警惕自己遇到相同的事情時，雖然回憶會再次被勾起，但至少情緒不會被帶入當時的情境。你的未來是自己決定的，唯有一直突破自己、挑戰自己，接受過去任何人事物所造成的傷痕，你才會慢慢成長。

我喜歡藉由略帶黑色情緒的短篇寫實小說，讓更多人關注社會普遍存在的一些不平等現象，而且要懂得自己去調適，也希望曾有相同遭遇的人解脫自己、反思並警惕自己，避免陷入同樣情境。如今作者我也是活得好好的啊！有穩定工作也成家立業，還出了兩本小說呢！

看完《窮傷痕的束縛》這本書我會告訴你：「窮傷痕可能會『影響』你一陣子，但未必能『決定』你一輩子！」

看完《黑情緒的誘惑》這本書後，我更要告訴你「黑色情緒會『持續』你一陣子，但千萬別『影響』你這輩子！」

好好對待你身邊的人事物，別妄自菲薄；努力增進職場上的專業領域，提升自己的實力與薪水，相信我們都能成爲更好的人。最後再次感謝你的閱讀，如果喜歡我的故事可以到臉書的粉絲專頁關注我哦！請搜尋「窮傷痕的束縛」，按個讚！你的鼓勵就是我創作的動力。

Chuckie

國家圖書館出版品預行編目資料

黑情緒的誘惑／Chuckie 著. --初版.--臺中市：白象文化事業有限公司，2022.02
面； 公分
ISBN 978-626-7105-05-4（平裝）

863.57　　　　110021896

黑情緒的誘惑

作　　者　Chuckie
校　　對　Chuckie
發 行 人　張輝潭
出版發行　白象文化事業有限公司
412台中市大里區科技路1號8樓之2（台中軟體園區）
出版專線：（04）2496-5995　傳真：（04）2496-9901
401台中市東區和平街228巷44號（經銷部）
購書專線：（04）2220-8589　傳真：（04）2220-8505
專案主編　陳婕婷
出版編印　林榮威、陳逸儒、黃麗穎、水邊、陳婕婷、李婕
設計創意　張禮南、何佳諠
經銷推廣　李莉吟、莊博亞、劉育姍、李如玉
經紀企劃　張輝潭、徐錦淳、廖書湘、黃姿虹
營運管理　林金郎、曾千熏
印　　刷　普羅文化股份有限公司
初版一刷　2022 年 02 月
定　　價　180 元